YR ...

Ganwyd Steve Barlow yn Crewe, ... athro, actor, rheolwr llwyfan a phypedwr yn Lloegr, ac yn Botswana, Affrica. Fe gwrddodd â Steve Skidmore mewn ysgol yn Nottingham, a dechreuodd y Ddau Steve ysgrifennu gyda'i gilydd. Mae Steve Barlow yn byw yng Ngwlad yr Haf erbyn hyn, ac yn hwylio cwch o'r enw *Which Way*, oherwydd, fel arfer, does ganddo ddim syniad i ble mae e'n mynd.

Mae Steve Skidmore yn fyrrach ac yn llai blewog na Steve Barlow. Ar ôl pasio rhai arholiadau yn yr ysgol, aeth i Brifysgol Nottingham. Treuliodd y rhan fwyaf o'i amser yno yn gwneud ymarfer corff ac yn gweithio dros yr haf mewn swyddi rhyfedd, gan gynnwys cyfri caeadau pasteiod (wir). Hyfforddodd fel athro, cyn ymuno gyda Steve Barlow a dod yn awdur llawn amser.

Mae rhagor o wybodaeth am y Ddau Steve yma:

www.the2steves.net

YR ARLUNYDD

Mae Sonia Leong yn byw yng Nghaergrawnt, Lloegr, ac mae hi'n arlunydd *manga* enwog. Enillodd gystadleuaeth 'Sêr Newydd Manga' Tokyopop (2005-06) a'i nofel graffeg gyntaf oedd *Manga Shakespeare: Romeo and Juliet*. Mae hi'n aelod o *Sweatdrop Studios* ac mae ganddi ormod o wobrau o lawer i sôn amdanynt fan hyn.

Ewch i wefan Sonia: www.fyredrake.net

ARWR

Arwr yr Ail Ryfel Byd

Steve Barlow – Steve Skidmore

Darluniau gan Sonia Leong

Addasiad gan Catrin Hughes

RILY

CYFRES ARWR – ARWR YR AIL RYFEL BYD
ISBN 978-1-904357-70-4

Rily Publications Ltd
Blwch Post 20
Hengoed
CF82 7YR

Cyhoeddwyd am y tro cyntaf gan Franklin Watts yn 2007

Cyhoeddwyd yn wreiddiol yn Saesneg fel
iHero – Code Mission gan Franklin Watts
argraffnod o Hachette Children's Books, un o gwmnïau Hachette UK

Addasiad gan Catrin Hughes
Hawlfraint yr addasiad © Rily Publications Ltd 2011

Hawlfraint y Testun © Steve Barlow a Steve Skidmore 2007
Darluniau © Sonia Leong 2007
Cynllun y clawr gan Jonathan Hair

Noddwyd gan Lywodraeth Cynulliad Cymru

Cysodwyd gan Wasg Dinefwr, Llandybïe, Sir Gaerfyrddin

www.rily.co.uk

Argraffwyd a rhwymwyd yn y Deyrnas Unedig
gan CPI Group (UK) Ltd, Croydon, CR0 4YY

Dewis dy dynged...

Mae'r llyfr hwn yn wahanol i lyfrau eraill y byddi di wedi eu darllen. *Ti* yw arwr yr antur y tro hwn. Ti sy'n penderfynu sut mae'r antur yn datblygu.

Mae rhif ar bob adran o'r llyfr. Ar ddiwedd y rhan fwyaf o'r adrannau, bydd gen ti ddewis. Bydd hynny'n dy arwain di i adran wahanol o'r llyfr.

Bydd rhai dewisiadau yn dy helpu i orffen yr antur yn llwyddiannus. Ond rhaid i ti fod yn ofalus – mae dewis anghywir yn gallu bod yn beryg bywyd!

Os byddi di'n methu, dechreua eto a dysga o dy gamgymeriadau.

Os byddi di'n dewis yn gywir, fe wnei di lwyddo.

Paid â methu, bydda'n arwr!

Mis Mai 1944 yw hi. Rwyt ti'n asiant cudd gyda'r Gwasanaeth Cudd-wybodaeth Prydeinig (GCP) – uned gyfrinachol iawn. Rwyt ti'n gallu siarad sawl iaith, ac yn arbenigwr ar ddefnyddio gwahanol arfau. Yn ystod y rhyfel yn erbyn yr Almaen, rwyt ti wedi cymryd rhan mewn nifer o gyrchoedd llwyddiannus tu ôl i ffiniau'r gelyn.

Mae'r rhyfel ar fin cyrraedd trobwynt allweddol. Mae *Cyrch Overlord*, ffugenw ymosodiad y Cynghreiriaid ar gyfandir Ewrop, i fod i ddigwydd mewn mis.

Yn ystod y chwe mis diwethaf, rwyt ti wedi bod yn ysbïo yng ngogledd Ffrainc er mwyn paratoi ar gyfer yr ymosodiad. Nawr, ar ôl cwblhau'r dasg ddiwethaf, rwyt ti'n ôl yn Llundain ac yn cael gwyliau o'r gwaith.

Mae galwad ffôn gan y Cadfridog Alan Cummings yn tarfu ar dy wyliau.

"Mae'n ddrwg gen i, gyfaill," mae e'n dweud. "Ond mae yna broblem wedi codi, ac mae angen i ti ddod i mewn i'r pencadlys. Rwy wedi danfon gyrrwr draw atat. Fe fydd e gyda thi cyn bo hir." Mae e'n dod â'r alwad i ben, gan dy adael yn meddwl tybed beth yw'r broblem newydd hon.

- **Nawr tro i adran 1**

1

Mae'r car yn cyrraedd ac yn mynd â thi ar draws Llundain i bencadlys cyfrinachol y GCP, ble mae rhywun yn dy arwain i swyddfa'r cadfridog.

Mae'r Cadfridog Cummings yn eistedd wrth ei ddesg, yn edrych yn bryderus. "Dim ond ti all helpu gyda'r broblem hon," mae e'n dweud. "Mae'r Natsïaid wedi cipio un o brif aelodau'r Gwrthsafiad Ffrengig yn Normandi. Ffugenw'r asiant yw Latrec."

Rwyt ti'n ebychu – rwyt ti wedi gweithio gyda Latrec o'r blaen.

"Mae e wedi'i garcharu mewn pentref bach ger Caen."

"Rwy'n adnabod Latrec," rwyt ti'n dweud. "Wnaiff e ddim dweud gair."

"Yn anffodus, nid dyna'r broblem. Fe gafodd e ei ddal gyda pheiriant datrys côd cyfrinachol."

"Peiriant tebyg i'r Enigma? Yr un rydyn ni'n ei ddefnyddio i geisio datrys codau cyfrinachol yr Almaenwyr?"

"Yn union. Roedd Latrec yn defnyddio'r peiriant er mwyn deall y gorchmynion rydyn ni'n anfon at y Gwrthsafiad Ffrengig. Mae cefnogaeth y Gwrthsafiad yn bwysig iawn os yw *Cyrch Overlord* am lwyddo. Os yw'r Natsïaid yn

dod i wybod sut mae'r peiriant yma'n gweithio,
fe fyddan nhw'n gallu deall y côd cyfrinachol.
Fe fyddan nhw'n gwybod ble a phryd y bydd
Cyrch Overlord yn digwydd, ac fe fydd hynny'n
difetha popeth. Mae angen i ti fynd i Ffrainc a
chael trefn ar y sefyllfa. Rydyn ni'n brin o
amser, felly rhaid i ti fynd ar ben dy hun.
Fe fydd hi'n beryglus – wyt ti'n barod am yr
her?"

- **Os wyt ti'n gofyn am amser i feddwl cyn
ateb, cer i 19**
- **Os wyt ti'n derbyn yr her, cer i 27**

2

Nid dy gyswllt di yw'r dyn yma – mae e wedi rhoi hen ffugenw i ti.

"Iawn," rwyt ti'n dweud, "ewch â fi at Latrec." Mae e'n gwenu, ac yna'n troi ei gefn arnat.

Rwyt ti'n manteisio ar y cyfle ac yn ei daro ar ei ben gyda charn dy rifolfer. Mae e'n cwympo i'r ddaear.

"Da iawn! Er, fe fyddwn i wedi ei saethu e."

Rwyt ti'n synnu wrth glywed llais newydd, ac rwyt ti'n troi i chwilio am berchennog y llais. Menyw sy'n sefyll yno, ac mae hi'n anelu gwn atat ti. "Ti yw Smith, rwy'n cymryd?" mae hi'n gofyn. "Paid â phoeni. Dydw i ddim am dy saethu di. Pierre Blanc ydw i."

Hi yw cyswllt go iawn y Gwrthsafiad Ffrengig.

"A phwy yw e?" rwyt ti'n gofyn, gan bwyntio at y dyn anymwybodol ar lawr.

"Bradwr ydy e – fe yw'r un wnaeth fradychu Latrec i'r Gestapo, heddlu cudd yr Almaenwyr."

"Beth wyt ti'n mynd i'w wneud gydag e?" rwyt ti'n gofyn.

"Mae gan y Gwrthsafiad ffyrdd o ddelio gyda bradwyr. Nawr, dere gyda fi."

- **Cer i 33**

3

Rwyt ti'n torri dy hun yn rhydd o'r harnais ac yn cwympo i'r ddaear. Mae sŵn rhywbeth yn symud. Rwyt ti'n cuddio tu ôl i goeden, ac yn gweld dyn mawr yn nesáu. Mae e wedi'i wisgo mewn dillad cyffredin ac mae e'n cario reiffl.

- **Os wyt ti eisiau aros tu ôl i'r coed, cer i 22**
- **Os wyt ti eisiau ymosod ar y dyn, cer i 47**
- **Os wyt ti eisiau siarad ag e, cer i 26**

4

'Y peth gorau yw mynd i mewn i'r cae, a cheisio mynd rownd yr hanner-trac," rwyt ti'n dweud.

Yn ofalus, rydych chi'n cropian i mewn i'r cae ŷd ac yn symud tuag at gefn yr hanner-trac arfog.

Dim ond pedwar milwr sydd yno. Mae pob un o'r dynion wedi troi ei gefn atoch, ac mae gennych chi olygfa glir ohonynt.

- **Os wyt ti eisiau saethu'r milwyr, cer i 8**
- **Os oes gen ti syniad arall, cer i 39**

5

"Mae'n rhaid i ni fynd ymlaen!" rwyt ti'n dweud wrth y peilot. "Mae'r ymgyrch yn hanfodol!"

Mae'r munudau nesaf yn hunllef wrth i fomiau ffrwydro o amgylch yr awyren. O'r diwedd, rydych chi heibio i'r amddiffynfeydd awyr.

"Roedd hynna'n agos," mae'r peilot yn dweud. "Nawr 'te, gad i ni gyrraedd yn ddiogel i ddiwedd y daith."

Cyn bo hir, rwyt ti'n sefyll yn nrws yr awyren, dy barasiwt ar dy gefn, a gynnau wedi eu clymu at dy gorff, yn aros am orchymyn y peilot. Mae'r aer yn chwipio heibio wrth i ti baratoi i neidio.

"Rydyn ni'n nesáu at yr ardal ollwng!" mae'r peilot yn gweiddi. "Pum eiliad…"

Rwyt ti'n dechrau cyfri. "5…4…3…2…1…" ac yna'n taflu dy hun i ddüwch y nos.

* **Cer i 23**

6

Wrth i ti droi i'w ddilyn, mae'r dyn yn dy daro'n galed ar dy ben gyda charn ei reiffl. Rwyt ti'n cwympo i'r ddaear yn anymwybodol.

* **Cer i 12**

7

Rwyt ti'n penderfynu agor dy barasiwt ar uchder o 300 metr ac yn tynnu ar y cordyn. Mae'r parasiwt yn agor, ond rwyt ti wedi ei gadael hi'n rhy hwyr i reoli'r glaniad – rwyt ti'n cwympo'n rhy gyflym, ac fe fyddi di'n taro'r ddaear yn galed!

Mae amlinelliad coedwig islaw – os nad wyt ti'n cael dy ladd ar unwaith, fe allai'r coed helpu i leddfu'r gwymp.

- **Os wyt ti eisiau mynd i lanio yn y coed, cer i 18**
- **Os wyt ti'n ofni taro'r coed, cer i 43**

8

Does gan yr Almaenwyr ddim siawns wrth i ti wasgu'r glicied.

Wrth i ti gamu ymlaen, mae milwr arall o'r Almaen yn camu o'r tu ôl i'r hanner-trac. Doeddet ti heb sylwi arno! Dy olygfa olaf yw'r milwr yn anelu ei wn atat. Mae fflach, ac yna tywyllwch wrth i ti gwympo i'r llawr.

- **Rwyt ti wedi methu! Os wyt ti eisiau dechrau eto, cer i 1**

9

Rwyt ti'n cael dy yrru i ganolfan gyfagos y Llu Awyr, ble mae awyren yn barod i hedfan i ogledd Ffrainc.

Cyn i ti gamu i mewn i'r awyren, rwyt ti'n cael dy arwain i gwt Nissen ble mae swyddog o'r Llu Awyr wedi paratoi offer ar gyfer yr ymgyrch. Mae e'n rhoi nifer o bethau i ti – mapiau, cwmpawd, papurau adnabod ffug, tortsh, cyllell, rifolfer Webley a reiffl newydd...

- **Os wyt ti eisiau mwy o wybodaeth am y reiffl newydd, cer i 34**
- **Os wyt ti eisiau mynd i'r awyren ar unwaith, cer i 14**

10

"Alla i ddim symud i unman," rwyt ti'n dweud wrth y dyn.

Mae e'n chwerthin. "Fe wna i dy helpu di i ddod i lawr," mae e'n dweud. "Torra dy hun yn rhydd, fe ddalia i ti."

Rwyt ti'n gwneud hynny, a chyn bo hir, rwyt ti wedi cyrraedd i lawr yn ddiogel. Ond dwyt ti ddim yn siŵr a ddylet ti ymddiried yn y dyn.

- **Os wyt ti eisiau ymosod ar y dyn, cer i 15**
- **Os wyt ti'n penderfynu siarad gyda'r dyn, cer i 26**

11

Rwyt ti'n eistedd yn y tryc, wedi dy amgylchynu gan filwyr, wrth i chi deithio i bencadlys yr Almaenwyr.

Yn sydyn, mae rhu awyren a sŵn bwledi'n taro'r ddaear. Mae rhywun yn ymosod ar y tryc! Mae'r tryc yn aros a'r milwyr yn llamu allan. Rwyt ti a'r fenyw yn eu dilyn. Uwch eich pen, mae awyren Brydeinig ar fin ymosod eto! Mae milwyr yr Almaen yn dechrau tanio tuag ati.

- **Os wyt ti eisiau cysgodi o dan y tryc, cer i 38**
- **Os wyt ti eisiau ceisio dianc, cer i 42**

12

Rwyt ti'n deffro, yn teimlo'n sâl. Wrth i ti edrych i fyny, rwyt ti'n gweld milwr o'r Almaen yn sefyll yno.

"Ysbïwr Prydeinig wyt ti," mae e'n dweud. "Ac mae'r rhyfel drosodd i ti... Mae'r Gestapo'n aros amdanat ti."

- **Does yna ddim dianc. Os wyt ti eisiau ail-ddechrau'r antur, cer i 1**

13

Rwyt ti'n gwybod bod teithio yn ystod y dydd yn beryglus, ond rwyt ti'n penderfynu gadael ar unwaith.

Mae'r fenyw'n rhoi beic i ti, ac rwyt ti'n dechrau'r daith i gyfeiriad y *chateau*.

Dwyt ti heb fynd ymhell pan wyt ti'n sylwi ar dryc byddin yr Almaen yn teithio ar wib i lawr y lôn tuag atat.

Mae'r tryc yn aros, ac mae dwsin o filwyr yn neidio allan ohono. Dim ond un lle sy'n ddigon agos i guddio yno – mae sgubor ar ymyl y ffordd.

- **Os wyt ti eisiau ymladd y milwyr, cer i 21**
- **Os wyt eisiau cuddio yn y sgubor, cer i 46**

14

Mae hi'n dywyll wrth i'r awyren godi a hedfan i gyfeiriad Ffrainc.

Ar ôl awr, mae'r peilot yn galw arnat ti i ddod i flaen yr awyren. "Dyna arfordir Ffrainc o'n blaenau," mae e'n dweud.

Wrth edrych allan, rwyt ti'n gallu gweld arfordir Normandi yn y pellter. Fe fydd miloedd o filwyr y Cynghreiriaid yn glanio yma mewn mis, felly mae'n rhaid i dy ymgyrch di lwyddo!

Yn sydyn, mae'r awyr yn goleuo gyda ffrwydradau.

"Ry'n ni'n cael ein pledu!" mae'r peilot yn gweiddi. Mae'r pelenni'n ffrwydro o'ch amgylch, gan siglo'r awyren.

"Dyw hyn ddim yn edrych yn dda!" mae'r peilot yn dweud. "Dwi ddim yn siŵr a fedrwn ni ddod drwyddi! A ddylen ni droi'n ôl?"

- **Os wyt ti eisiau troi'n ôl, cer i 48**
- **Os wyt ti eisiau mynd ymlaen gyda'r siwrne, cer i 5**

15

Rwyt ti'n ceisio estyn am dy wn, ond rwyt ti'n rhy araf. Mae fflach, a sŵn uchel.

Rwyt ti'n teimlo'r boen yn rhwygo trwy dy frest. Rwyt ti wedi methu, ac wedi talu'r pris uchaf.

• **Mae dy antur ar ben. Os wyt ti eisiau dechrau eto, cer i 1**

16

Er bod y fenyw'n anghytuno, rwyt ti'n penderfynu aros nes iddi nosi, ac yn cysgu am ychydig yn y sgubor.

Rhai oriau wedyn, mae sŵn tryc yn dy ddeffro di. Rwyt ti'n syllu allan o'r sgubor ac yn gweld criw o filwyr o'r Almaen yn neidio allan o'r cerbyd. Maen nhw'n torri i mewn i'r ffermdy ac yn dod â'r fenyw allan gyda gwn wrth ei phen. Maen nhw'n cerdded i gyfeiriad y sgubor.

• **Os wyt ti eisiau ymladd dy ffordd allan o'r sgubor, cer i 21**
• **Os wyt ti eisiau aros yn y sgubor a chuddio, cer i 46**

17

Wrth i'r milwyr Almaenig saethu atat ti, mae aelodau'r Gwrthsafiad Ffrengig yn neidio allan o'r hanner-trac ac yn dechrau tanio. Ond, er syndod i ti, mae'r gelyn yn cael y gorau arnyn nhw.

Mae Latrec a'r peiriant datrys côd yn cael eu llwytho i'r car du. Fedri di wneud dim wrth i'r car frysio i ffwrdd ac wrth i'r bwledi barhau i daro'r balconi o dy amgylch.

Mae mwy o filwyr yn cyrraedd y buarth, ac yn tanio atat ti.

- **Cer i 21**

18

Rwyt ti'n glanio yn y coed cyn stopio gyda chlec wrth i'r parasiwt gydio yn y canghennau.

Rwyt ti'n hongian yno, bymtheg metr uwchben y ddaear, pan wyt ti'n clywed canghennau bach yn torri o danat. Mae rhywun yn nesáu.

- **Os wyt ti eisiau torri dy hun yn rhydd o'r parasiwt, cer i 3**
- **Os wyt ti eisiau aros yn dawel, gan obeithio na fydd neb yn dy weld, cer i 35**

19

"Erbyn pryd wyt ti angen ateb?" rwyt ti'n gofyn.

"Nefoedd wen!" mae'r Cadfridog yn bloeddio. "Does dim munud i'w golli! Bydd bywydau miloedd o'r cynghreiriaid mewn perygl os yw'r Natsïaid yn datrys y côd! Rhaid i ti benderfynu ar unwaith!"

- **Cer i 27**

20

Ar y ffordd i'r *chateau*, mae milwyr y Gwrthsafiad yn paratoi bom. Wrth i chi nesáu at bencadlys yr Almaenwyr, rwyt ti'n sylwi ar y rheolfan – mae llawer o filwyr yno.

- **Os wyt ti eisiau stopio wrth y rheolfan, cer i 28**
- **Os wyt ti eisiau gyrru drwyddo, cer i 45**

21

Rwyt ti'n dechrau saethu, ond mae'r sefyllfa'n anobeithiol. Mae llawer gormod o filwyr yr Almaen.

Rwyt ti'n dal ati i ymladd yn arwrol, ac yna'n teimlo rhywbeth yn taro dy frest. Rwyt ti'n edrych i lawr ac yn gweld y gwaed yn llifo. Dyna'r olygfa olaf rwyt ti'n ei gweld wrth i dy lygaid gau, ac wrth i ti gwympo i'r llawr.

- **Rwyt ti wedi methu. Os wyt ti eisiau ail-ddechrau'r antur, cer yn ôl i 1**

22

Rwyt ti'n cropian ymhellach i mewn i'r goedwig, yn dawel, dawel. Rwyt ti'n sylwi ar goeden wedi cwympo, ac rwyt ti'n cuddio y tu ôl iddi.

Wrth i ti orwedd ar lawr, mae llais yn galw. "Helô. Dwi'n gwybod dy fod ti yno. Fe welais i dy barasiwt di. Mae'n rhaid i mi siarad gyda ti."

- **Os wyt ti eisiau siarad gyda'r dyn, cer i 26**
- **Os wyt ti eisiau ymosod arno, cer i 47**

23

Mae'r aer yn taro dy gorff wrth i ti gwympo tua'r ddaear. Rhaid i ti benderfynu pryd i agor dy barasiwt. Os wyt ti'n aros mor hir â phosibl, mae llai o siawns y bydd rhywun ar y ddaear yn sylwi arnat, ond fe fydd hi'n anodd rheoli'r glaniad.

- **Os wyt ti eisiau aros cyn agor dy barasiwt, cer i 7**
- **Os wyt ti eisiau agor dy barasiwt ar unwaith, cer i 49**

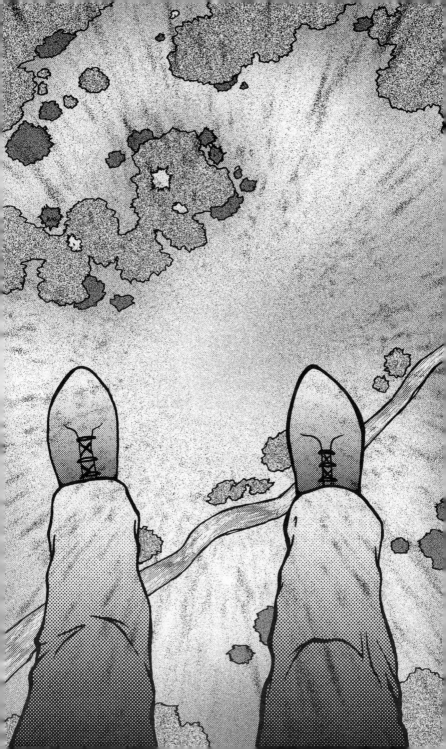

24

"Wrth gwrs," rwyt ti'n dweud wrth y gwyliwr.
"Rwy'n gwybod eu bod nhw yma. Maen nhw
wedi gofyn am help gen i. Gad i mi basio, neu
fe fyddi di ar ddyletswydd gwylio am fis!"

Mae'r gwyliwr yn ymddiheuro ac yn codi'r
baryn.

Rwyt ti'n mynd heibio, ac yn gyrru at y
chateau. Wrth i ti gyrraedd y buarth, rwyt ti'n
sylwi ar gar du wedi'i barcio wrth y brif fynedfa.
Mae'r gyrrwr wrthi'n rhoi petrol yn y car. Mae
mwy o ganiau petrol yng nghornel bellaf y
buarth, wrth ymyl tanc Panzer mawr. Rwyt ti'n
parcio'r hanner-trac ac yn camu allan. Ar yr
union un pryd, mae sgwad o filwyr yr Almaen
yn ymddangos.

- **Os wyt ti eisiau ymosod ar y milwyr,
cer i 21**
- **Os wyt ti eisiau siarad â nhw, cer i 32**

25

Rwyt ti'n gwasgu'r glicied yn ofalus, ac mae'r swyddog Gestapo'n cwympo i'r llawr, gan ollwng y peiriant. Ond mae'r Almaenwyr yn sylweddoli o ble daeth y taniad, ac maen nhw'n tanio'n ôl.

- **Cer i 17**

26

Er i ti benderfynu siarad gyda'r dyn, rwyt ti'n dal yn ofalus. "Mae hi'n noson dywyll i fod yn crwydro'r goedwig, Monsieur," rwyt ti'n dweud, gan gamu ymlaen.

Mae'r dyn yn edrych arnat ti. "Beth yw dy enw?" mae e'n gofyn.

"Smith," rwyt ti'n ateb.

"Ro'n i'n dy ddisgwyl di, Smith. Rwy'n aelod o'r Gwrthsafiad. Rhaid i ti ddod gyda mi. Fe awn ni i ble mae Latrec wedi ei garcharu."

"A beth yw dy enw?" rwyt ti'n gofyn.

"Jacques le Rouge," mae e'n ateb.

- **Os wyt ti'n amau'r dyn, cer i 2**
- **Os wyt ti eisiau mynd gydag e at Latrec, cer i 6**

27

"Dwi'n barod amdani! Beth sydd angen i mi ei wneud?" rwyt ti'n gofyn.

"Rydw i eisiau i ti fynd draw i Ffrainc er mwyn dod o hyd i Latrec. Rhaid i ni gael gwybod os yw'r Natsïaid wedi cael gafael yn y peiriant. Os ydyn nhw, yna mae'n rhaid dinistrio'r peiriant. Fe drefnwn ni bod y Gwrthsafiad Ffrengig yn dod i gwrdd â thi. Fe allan nhw fynd â thi i ble mae Latrec wedi'i garcharu. Rwyt ti'n hedfan yno heno. Unrhyw gwestiynau?"

- **Os wyt ti eisiau gofyn cwestiwn am y dasg, cer i 44**
- **Os wyt ti eisiau bwrw ymlaen gyda'r gwaith, cer i 9**

28

Rwyt ti'n stopio'r hanner-trac wrth y rheolfan. Mae'r gwylwyr yn saliwtio.

Mewn Almaeneg perffaith, rwyt ti'n dweud wrth un o'r gwylwyr dy fod ti yno i holi'r carcharor.

Mae'r gwyliwr yn edrych yn ddrwgdybus, ac yn dweud fod y Gestapo yno'n barod.

- **Os wyt ti eisiau gyrru drwy'r bariau, cer i 45**
- **Os wyt ti eisiau siarad mwy gyda'r gwylwyr, cer i 24**
- **Os wyt ti eisiau saethu at y gwylwyr, cer i 21**

29

Rwyt ti'n tynnu ar y parasiwt ac yn symud oddi wrth y coed. Rwyt ti'n paratoi i lanio wrth i'r ddaear ruthro tuag atat ti.

Rwyt ti'n glanio'n berffaith, ac yn codi dy barasiwt yn gyflym cyn brysio i'r coed er mwyn cuddio dy barasiwt yno.

Wrth i ti guddio'r parasiwt, rwyt ti'n clywed sŵn brigau'n torri. Rwyt ti'n syllu i'r tywyllwch ac yn gweld siâp dyn, deg metr i ffwrdd, wedi'i wisgo mewn dillad cyffredin ac yn cario reiffl.

- **Os wyt ti eisiau cuddio, cer i 22**
- **Os wyt ti eisiau ymosod ar y dyn, cer i 47**
- **Os wyt ti eisiau siarad gydag e, cer i 26**

30

Er mwyn ceisio achub dy fywyd, rwyt ti'n dweud popeth am dy ymgyrch wrth y cadlywydd o'r Almaen. Mae e'n gorchymyn un o'i ddynion i gysylltu gyda'r *chateau* ar y radio i ddweud wrthyn nhw am bwysigrwydd y peiriant.

Yna mae e'n troi atat ti. "Dwyt ti ddim yn ddefnyddiol i mi nawr."

Mae e'n codi'i bistol ac yn tanio. Rwyt ti'n gweld fflach sydyn o olau, a dim byd pellach.

- **Rwyt ti wedi talu'r pris eithaf am ddatgelu manylion yr ymgyrch. Os wyt ti eisiau dechrau eto, cer i 1**

31

Rwyt ti a'r fenyw yn teithio drwy'r ffos ac ar draws y cae, gan osgoi'r tanio sy'n dod o'r hanner-trac.

Rydych chi'n cyrraedd cefn y ffermdy, ble mae rhywun yn agor y drws i chi ac yn cyflwyno pedwar aelod o'r Gwrthsafiad.

Mae'r milwyr yn yr hanner-trac yn dal i danio atoch chi.

"Allwn ni ddim aros yn fan hyn," rwyt ti'n dweud. "Fe fydd yr Almaenwyr yn galw am gymorth – rhaid i ni weithredu nawr."

- **Cer i 4**

32

"Ble mae'r carcharor?" rwyt ti'n gofyn.

Mae milwr yn saliwtio ac yn pwyntio at y *chateau*. "Mae e lan y grisiau gyda'r Gestapo. Fyddwn i ddim yn hoffi bod yn ei sgidie fe." Rwyt ti'n diolch i'r milwyr ac yn cerdded at y *chateau* gyda dy reiffl, gan adael aelodau'r Gwrthsafiad yn yr hanner-trac gyda'u bom.

Rwyt ti'n brysio lan y grisiau, ond does dim sôn o Latrec. Yna'n sydyn, rwyt ti'n clywed sŵn gweiddi o'r tu allan ac yn camu allan ar y balconi i weld beth sy'n digwydd. I lawr ar y buarth, rwyt ti'n gweld Latrec yn cael ei gludo i'r car du gan swyddogion y Gestapo. Mae un o'r swyddogion yn cario'r peiriant côd!

• **Os wyt ti'n codi dy reiffl ac yn tanio'n sydyn, cer i 41**
• **Os wyt ti'n aros am eiliad, er mwyn cael anelu'n gywir, cer i 37**

33

Rwyt ti'n dilyn y fenyw ar draws y caeau. Mae'r wawr yn torri wrth i chi gyrraedd y ffermdy.

Mae'r fenyw yn dy arwain i'r sgubor, ble mae bwyd a diod yn aros amdanat. Wrth i ti fwyta, mae hi'n egluro ble mae Latrec wedi'i garcharu. "Mae ein cysylltiadau'n dweud ei fod e wedi ei gludo i'r *chateau* lleol," mae hi'n dweud. "Mae'r Gestapo ar eu ffordd yno o Baris i'w holi e. Does gennyt ti ddim llawer o amser."

• **Os wyt ti eisiau mynd i'r *chateau* ar unwaith, cer i 13**
• **Os wyt ti'n penderfynu aros tan nos, cer i 16.**

34

"Mae honna'n edrych fel reiffl De Lisle," rwyt ti'n dweud.

"Ie, dyna yw hi. Mae'n gallu anelu'n gywir hyd at 250 metr," mae'r swyddog yn ateb. "Ac mae'n gallu tanio 20 rownd y funud."

Mae e'n cynnig y reiffl i ti, ac rwyt ti'n mynd i'r awyren.

• **Cer i 14**

35

Wrth i ti hongian yn ddiamddiffyn yn y goeden, daw dyn i'r golwg ar y llwybr islaw. Mae e wedi'i wisgo mewn dillad cyffredin ac mae e'n cario reiffl.

Mae dy galon yn curo wrth i'r dyn stopio. Rwyt ti'n dechrau estyn am dy rifolfer, ond wrth i ti wneud hynny, mae e'n edrych lan ac yn dy weld ti.

Mae'r dyn yn chwerthin, ac yn anelu ei reiffl tuag atat. "Paid â symud os gweli di'n dda."

• **Os wyt ti eisiau ceisio estyn dy rifolfer, cer i 15**
• **Os wyt ti eisiau aros, a gwrando ar beth sydd gan y dyn i'w ddweud, cer i 10**

35

36

"Rwy'n fodlon rhoi fy enw, fy safle, a fy rhif i chi, ond dyna'r cwbl," rwyt ti'n dweud wrth y Cadlywydd o'r Almaen.

Mae e'n amneidio. "O'r gorau. Ond rwy'n credu y bydd y Gestapo'n gallu newid hynny."

Mae'r milwyr yn dy arwain at y tryc ac yn dy daflu i mewn i'r cefn. Mae'r Ffrances yn eistedd yno'n barod.

"Peidiwch â phoeni, fe fydd popeth yn iawn," rwyt ti'n dweud wrthi. Ond yn dy galon, rwyt ti'n gwybod eich bod chi mewn trafferth.

- **Cer i 11**

37

Dim ond un cyfle gei di. Rwyt ti'n anelu'r reiffl yn ofalus, ond wyt ti'n saethu at y peiriant, neu at y swyddog?

- **Os wyt ti'n saethu'r swyddog Gestapo sy'n cario'r peiriant, cer i 25**
- **Os wyt ti'n saethu at y peiriant, cer i 40**

38

Rwyt ti'n deifio o dan y tryc wrth i'r awyren sgrechian heibio. Mae sŵn bomiau.

Y sŵn olaf i ti ei glywed yw ffrwydrad anferth wrth i'r bom daro'r tryc a'i droi yn belen o dân.

- **Rwyt ti wedi methu. Os wyt ti eisiau dechrau'r antur eto, cer i 1**

39

Rwyt ti'n camu ymlaen ac yn saethu dros bennau'r milwyr o'r Almaen. Rwyt ti'n gorchymyn iddyn nhw ildio. Maen nhw'n gweld bod eu sefyllfa'n anobeithiol. Maen nhw'n gosod eu gynnau ar lawr, ac yn codi eu dwylo.

Mae ymladdwyr y Gwrthsafiad yn cael gwared ar y milwyr eraill ac yn ymuno â thi. Rwyt ti'n egluro dy ymgyrch i ddinistrio'r peiriant côd. "Fe ddefnyddiwn ni ddillad y milwyr Almaenig a mynd â'u hanner-trac nhw," rwyt ti'n dweud. "Dyna'r gobaith gorau o gael mynd i mewn i'r *chateau*."

Mae tri gwirfoddolwr yn gwisgo dillad y milwyr Almaenig. Rwyt ti'n gwisgo dillad swyddog ac yn diolch i'r fenyw am ei chymorth. Yna, rydych chi i gyd yn cychwyn yn yr hanner-trac i gyfeiriad y *chateau*.

- **Cer i 20**

40

Rwyt ti'n anelu, a thanio. Mae'r peiriant côd yn ffrwydro'n ddarnau mân! Mae'r fwled nesaf ar gyfer y caniau petrol wrth y tanc Panzer. Maen nhw'n ffrwydro, ac mae'r tanc yn cael ei orchuddio â fflamau. Mae mwg trwchus yn llenwi'r buarth.

• **Cer i 50**

41

Rwyt ti'n dechrau saethu, ond yn dy frys, rwyt ti'n methu'r targed.

Mae swyddogion y Gestapo'n sylweddoli bod rhywun yn ymosod arnynt, ac yn gorchymyn i'r milwyr i danio'n ôl.

- **Cer i 17**

42

Mae milwyr yr Almaen yn rhy brysur i sylwi arnat ti'n estyn i mewn i'r tryc a chydio yn dy reiffl. Rwyt ti a'r fenyw'n cuddio mewn ffos ar gyrion cae o ŷd.

Wrth i'r awyren ruo heibio, mae llif o fwledi'n taro'r tryc. Mae'r rhain yn dod o gyfeiriad gwahanol – o ffermdy cyfagos.

"Y Gwrthsafiad sydd yno," mae'r fenyw'n dweud.

Mae'r frwydr yn chwyrn, ac mae'r Gwrthsafiad yn gwneud llawer o niwed. Ond wrth iddi edrych fel petaech chi ar fin ennill y frwydr, daw hanner-trac arfog arall i'r golwg, a dechrau tanio at y ffermdy.

"Maen nhw angen help," mae'r fenyw yn dweud.

- **Os wyt ti eisiau mynd i'r ffermdy, cer i 31**
- **Os wyt ti'n penderfynu symud i ganol y cae ŷd, y tu ôl i'r hanner-trac, cer i 4**

43

Rwyt ti'n paratoi i lanio. Rwyt ti'n rhuthro at y ddaear yn gyflym iawn. Wrth i ti gwympo'n bendramwnwgl i'r llawr, mae dy ben yn taro yn erbyn y ddaear galed. Rwyt ti'n teimlo poen cas, ac yna rwyt ti'n llewygu.

- **Cer i 12**

44

"Sut fydda i'n gwybod os yw'r cyswllt gyda'r Gwrthsafiad Ffrengig yn un gonest?" rwyt ti'n gofyn. "Falle bod rhywun wedi bradychu Latrec, ac mai dyna pam gafodd e ei gipio."

"Cwestiwn da," mae'r Cadfridog yn dweud. "Fe yrrwn ni neges radio at y Gwrthsafiad. Pan fydd dy gyswllt yno'n gofyn am dy enw, dylet ti ateb 'Smith'."

"A beth fydd cyfrinair y person cyswllt?" rwyt ti'n gofyn.

"Ffugenw'r person cyswllt fydd 'Pierre Blanc'," mae'r Cadfridog yn ateb. "Nawr brysia, rhaid i ti gyrraedd y maes awyr. Does gennym ni ddim amser i'w golli."

- **Cer i 9**

45

Rwyt ti'n rhoi dy droed ar y sbardun ac yn gyrru'r hanner-trac drwy'r baryn pren.

Mae gwylwyr yr Almaen yn dechrau tanio. Mae dy ffrindiau'n saethu'n ôl.

Wrth i chi ruthro i lawr y ffordd i gyfeiriad y *chateau*, daw tanc Panzer i'r golwg a dechrau tanio atoch.

Rwyt ti'n ceisio osgoi'r pelenni ffrwydrol, ond mae un yn glanio o dy flaen, ac mae'r hanner-trac yn stopio'n stond. Rwyt ti ac aelodau'r Gwrthsafiad yn neidio allan o'r cerbyd, ac yn wynebu'r gelyn.

• **Cer i 21**

46

Rwyt ti'n symud i gefn y sgubor, ond cyn i ti gael cyfle i guddio, mae'r milwyr yn dod i mewn, gyda'u gynnau'n anelu atat. Maen nhw'n gweiddi "Ildiwch!"

Mae'r sefyllfa'n anobeithiol. Rwyt ti'n gollwng dy arf ac yn codi dy ddwylo.

Mae'r Cadlywydd o'r Almaen yn camu ymlaen. "Ry'n ni'n gwybod eich bod chi wedi glanio gyda pharasiwt – beth yw eich pwrpas yma? Dywedwch y cyfan, ac efallai y cewch chi fyw."

• **Os wyt ti'n dweud wrthyn nhw am yr ymgyrch, cer i 30**
• **Os wyt ti'n penderfynu dweud dim, cer i 36**

47

Rwyt ti'n llamu allan, gyda dy rifolfer yn dy law. Ond cyn i ti wasgu'r glicied, mae'r dyn yn sylwi arnat ac yn diflannu i'r coed. Rwyt ti'n bytheirio, gan geisio ei ddilyn.

Mae hi'n dywyll ac mae'r tyfiant yn drwchus, ac rwyt ti'n baglu. Wrth i ti godi eto, rwyt ti'n clywed brigyn yn torri. Rwyt ti'n troi i gyfeiriad y sŵn, ond cyn i ti gael cyfle i wneud dim, mae'r dyn yn llamu tuag atat ti. Yr olygfa olaf a weli di yw carn reiffl. Mae'n dy daro di ar ochr dy ben, ac rwyt ti'n cwympo i'r llawr yn anymwybodol.

• **Cer i 12**

47

48

"Tro'n ôl," rwyt ti'n gorchymyn y peilot. "Bydd yn rhaid i ni chwilio am lwybr arall."

Mae'r peilot yn ufuddhau, ac yn tynnu ar y lifer rheoli. Ond wrth iddo wneud hynny, mae ffrwydrad anferth, ac mae adain yr awyren yn chwalu'n ddarnau.

"Rydyn ni wedi cael ein taro! Bydd yn rhaid i ni neidio!" mae'r peilot yn gweiddi. Rwyt ti'n ceisio symud at y drws, ond mae'n rhy hwyr. Mae ffrwydrad arall yn troi'r awyren yn belen o dân.

• **Mae dy antur ar ben. Os wyt ti eisiau dechrau eto, cer i 1**

49

Rwyt ti'n tynnu ar y cortyn ac mae'r parasiwt yn agor uwch dy ben. Wrth i ti gwympo'n raddol tua'r ddaear, rwyt ti'n sylweddoli dy fod ti'n nesáu at goedwig fechan. Fe fydd y coed yn dy guddio rhag llygaid busneslyd, ond fe fydd y glaniad yn beryglus.

• **Os wyt ti am geisio glanio oddi wrth y coed, cer i 29**
• **Os wyt ti'n penderfynu glanio yn y goedwig, cer i 18**

50

Yng nghanol y dryswch, rwyt ti'n rhuthro i lawr y grisiau ac i mewn i'r buarth. Rwyt ti'n gweld fod aelodau'r Gwrthsafiad wedi achub Latrec. Mae swyddogion y Gestapo'n gorwedd ar lawr, wedi marw.

Rwyt ti'n llamu i mewn i'r hanner-trac wrth iddo ruthro i ffwrdd, gan dorri trwy'r giatiau wrth i ffrwydrad anferth rwygo trwy'r *chateau*. Rwyt ti'n troi, ac yn edrych ar y fflamau'n codi i'r awyr.

"Dyna'r bom osodon ni," mae un o aelodau'r Gwrthsafiad yn egluro. "Anrheg fach, i'w helpu nhw i gofio amdanom ni!"

"Maen nhw'n siŵr o gofio amdanom ni," rwyt ti'n ateb.

Mae Latrec yn cydio yn dy fraich. "Rwyt ti'n arwr!" mae e'n dweud.

Rwyt ti'n gwenu. Fe fydd cynlluniau cyfrinachol y Cynghreiriaid ar gyfer *Cyrch Overlord* yn ddiogel nawr. Rwyt ti wedi llwyddo!

Arwr y Groegiaid

Steve Barlow – Steve Skidmore

Darluniau gan Sonia Leong

Addasiad gan Catrin Hughes

Rwyt ti'n byw yng Ngroeg yr henfyd, yng nghyfnod y chwedlau. Yng nghyfnod Ercwlff, Thesews a Phegasws.

Rwyt ti'n arwr, yn anturiaethwr. Rwyt wedi ymladd ac ennill llawer o frwydrau yn erbyn rhyfelwyr ac angenfilod.

Mae Brenin Dinas Thebau wedi gofyn am dy help. Flynyddoedd lawer yn ôl, lladdodd yr arwr Persews Medwsa'r Gorgon. Ond mae ysbrydion newydd yn aflonyddu ar ogof Medwsa erbyn heddiw: chwaer Medwsa, y gorgon Ewriale; a'r anghenfil Teiffon.

Rwyt ti'n teithio i'r palas brenhinol i gael gwybod beth yw problem Brenin Thebau.

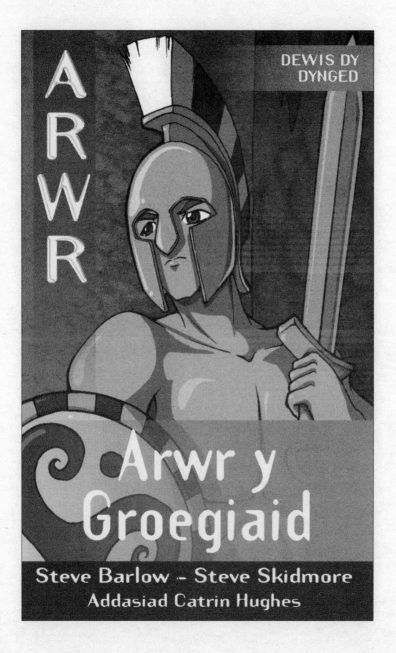

ARWR

DEWIS DY DYNGED

Arwr y
Groegiaid

Steve Barlow – Steve Skidmore
Addasiad Catrin Hughes